Daniel

y el factor burrito

KEVIN P. HORATH
Ilustrado por Caitlin Chase

LUCIDBOOKS

Daniel y el factor burrito
Copyright © 2019 por Kevin P. Horath
Ilustraciones por Caitlyn Chase
Traducido por Natalia Sepúlveda
Publicado por Lucid Books en Houston, TX
www.LucidBooksPublishing.com

ISBN-10: 1-63296-336-1
ISBN-13: 978-1-63296-336-9
eISBN-10: 1-63296-332-9
eISBN-13: 978-1-63296-332-1

Especiales de venta: La mayoría de los títulos de Lucid Books están disponibles en una cantidad especial de descuentos. Impresión y extractos personalizados pueden estar disponibles para adaptarse a necesidades especiales. Contacte a Lucid Books por info@lucidbookspublishing.com.

Para Norah, Penelope y Henry

Hace mucho tiempo, en las afueras de la ciudad de Jerusalén, un bebé burrito nació. Todos los animales del establo se reunieron a su alrededor para darle la bienvenida.

Un búho preguntó desde las vigas, "¿Quién. . . quién es éste?"

"Éste" el papá del bebé burrito contestó, "es Daniel".

Mientras Daniel crecía, él jugaba con los otros animalitos del establo.

Un día mientras caminaban hacia el patio juntos, los animalitos se burlaron de él.

"Los burritos suenan graciosos" dijo el búho bebé.

El becerrito dijo, "Ellos son sucios también. Los burritos son inmundos".

"Los guerreros montan a caballo porque los caballos son mejores en batalla" respondió el potrito.

"¿Sí, y para qué sirven los burritos?" y todos se rieron juntos.

Joshua el corderito se quedó cerca de él les suplicó.
"Por favor paren ya" él le suplicó.
"Ustedes no están siendo muy amables".

Entonces, ¡los animalitos comenzaron a burlarse de Joshua también!

Daniel decidió huir. Estaba triste porque sus amigos habían herido sus sentimientos.

Adentro del establo, los padres de Daniel se dieron cuenta de que algo le había pasado. "¿Por qué estás tan triste? Le preguntó la mamá de Daniel.

Daniel le dijo, "¿Es verdad que los burritos son inmundos?
¿Por qué los caballos son mejores en las batallas?
¿Por qué todos, excepto Joshua, se burlan de mí?"

"Ay, Daniel" su mamá dijo. "Déjame contarte una historia. Muchos años atrás, Dios creó todo y a todos para que fuéramos diferentes. Nosotros debemos encontrar una manera especial para servirle a Dios.

"Los burritos son considerados inmundos bajo la ley de Dios" ella continuó explicando. "Pero Él nos ama tanto, que Él hizo una manera para que nosotros le podamos servir. ¿Sabías que los profetas, sacerdotes y reyes montaban a burrito? ¡Los burritos cargan a gente muy importante!"

"¿De verdad?" Daniel se preguntaba. "Pero sonamos tan graciosos".

"Iii-aah, Iii-aah" el papá de Daniel rebuznaba. "Sí, Daniel, sonamos graciosos. Pero una vez, Dios usó a un burrito para hablarle a un profeta. Dios puede usar a cualquiera, Daniel. Él te puede usar a ti".

"¿Cómo?" Daniel le preguntó.

"Algún día verás. Mientras tanto, te enseñaremos y te mostraremos el camino" su mamá le dijo con cariño.

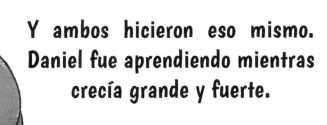

Y ambos hicieron eso mismo. Daniel fue aprendiendo mientras crecía grande y fuerte.

Meses después, mucha gente vino a Jerusalén para celebrar la festividad de Semana Santa. Daniel y su mamá habían oído que iban a ir a la ciudad con su dueño a buscar comida para la fiesta. Mientras esperaban a fuera del establo, dos hombres extraños aparecieron. Le dijeron al dueño de Daniel que el Señor necesitaba a Daniel y a su mamá.

Esto asustó a Daniel. Él no sabía quienes eran estos dos hombres o qué iban a hacer. "¡Iii-aah, Iii-aah!" Daniel rebuznaba con miedo.

Su mamá dijo, "Daniel, no tengas miedo. Estos hombres están con un hombre especial que enseña acerca de Dios. Él es amable con los animales, niños y con todas las personas. Yo sé que podemos confiar en él. Sígueme". Entonces Daniel valientemente siguió a su mamá.

De repente, un hombre diferente apareció. Este hombre alcanzó y le rascó a Daniel detrás de sus orejas. Bajó su cabeza y le abrazó el cuello a Daniel. Daniel ya no tenía miedo. Él miró hacia arriba y vio a su mamá mirándolo. Ella suavemente aprobó mientras el hombre se montaba en Daniel.

Los otros hombres dirigían a la mamá de Daniel hacia la ciudad. Daniel los seguía con el hombre cabalgando en su espalda.

¡Jerusalén estaba muy lleno! Había gente en todos lados. Algunos se quitaron sus abrigos y los colocaron en el camino. Otra gente tomó ramas y las regaron por el camino. Daniel oyó, "¡Hosana el Hijo de David: bendecido es el que viene en el nombre del Señor! ¡Hosana en lo más alto!"

El papá de Daniel una vez le contó de un rey llamado David. "Si este es el hijo de David, Él debe ser realeza también" Daniel pensó. ¡Tal vez un rey estaba montado en Daniel! El tomó cada paso cuidadosamente.

En el camino hacia el templo, Daniel aprendió el nombre del hombre. "Mira, es el profeta" el oía a la gente decir. "¡Es Jesús!"

Más tarde esa noche, Daniel estaba súper emocionado. Él les contó la historia una y otra vez a sus amigos asombrados. Esta vez no se burlaron de él. Escucharon cada palabra. Después de hablar por lo que parecía ser horas, Daniel se quedó dormido y soñó sobre este día tan emocionante.

Varios días después, Daniel y su mamá regresaron a la ciudad. ¡Tal vez Daniel podía ver a Jesús de nuevo!

Mientras se acercaban, Daniel notó un cambio. ¡Algo estaba mal! En un monte aterrorizante había tres cruces. Daniel oyó algunas personas hablando. Algunos estaban llorando. Otros estaban gritando. Había soldados por todas partes. Jesús, quien había montado a Daniel solo algunos días atrás, estaba en la cruz del medio. Daniel no entendió lo que estaba sucediendo.

El sol comenzó a bajar. Daniel se dio cuenta de que él estaba caminando por la sombra de la cruz que estaba arriba en el monte. Lágrimas salieron de sus ojos. Él estaba muy triste.

A medida que Daniel seguía a su mamá para la casa, él se dio cuenta de una forma de una cruz en la espalda de su mamá. ¿Era la sombra? No, no lo era. Mientras se alejaban más y más, la cruz seguía en su espalda.

En casa en el establo, Daniel preguntó,
"¿Por qué la gente fue tan mala con Jesús?"

La mamá de Daniel le respondió, "¿Te recuerdas cuando te conté que Dios
proveyó una manera para que el burrito le sirviera a Él?"

"Sí" contestó Daniel. "Siempre me recordaré de esa historia".

"Muy bien. Ahora te contaré un poco más. Joshua el corderito te defendió cuando tus amigos se burlaban de ti. Así es, similarmente, lo que hizo Dios para los burritos. Porque somos inmundos, Él permitió que el cordero tomara nuestro lugar.

"Hoy, viste lo mismo pasar para las personas" ella continuó diciendo. "Ellos desobedecieron a Dios, y ahora son inmundos. Aunque, Dios los ama tanto, que Él hizo una manera para que ellos le sirvan a Él, también. Jesús es un cordero. Y tú, Daniel, cargaste: al Profeta, al Sacerdote y al Rey".

Asombrado, Daniel dijo, "Mientras nos íbamos, noté una forma de la cruz en tu espalda. ¿Por qué la forma es así?"

La mamá de Daniel se rió y dijo, "Está en tu espalda también, Daniel. Todos los burritos tienen la forma de la cruz en la espalda. Llevamos la Palabra de Dios. La cruz nos recuerda de ese trabajo".

Y entonces Daniel pensó en todas estas cosas.

Casi 40 días después, Daniel, junto con sus padres, regresó a Jerusalén. Fueron al tope de un monte llamado el Monte de los Olivos. Había gente allí incluyendo algunos hombres que habían visto antes. Daniel pensó, "¡Ellos estaban con Jesús!" Él estaba emocionado. ¿Puede ser esto posible? ¡Sí, Jesús estaba allí, también!

Jesús caminó hacia Daniel. Él le rascó detrás de las orejas a Daniel cariñosamente.

Jesús entonces le bajó la cabeza y le abrazó el cuello a Daniel por un momento.

Jesús se levantó y saludó a Daniel. Dirigiéndose a la mamá de Daniel, Él le acarició el cuello, y le susurró "Gracias" en su oído.

De repente, Jesús comenzó a ascender hacia el cielo. Mientras ascendía, Él dijo, "Vayan por todo el mundo, y prediquen todo lo que les he enseñado. Recuerden, que siempre estaré con ustedes".

Y así, Jesús se había ido.

Daniel había conocido su propósito. La vida no era fácil. Pero él nunca se olvidó de las enseñanzas que sus padres le enseñaron, especialmente la memoria de su mamá guiándolo hacia Jesús.

Daniel sabía que él había cargado al Rey de reyes y ahora él llevaba el mensaje de la cruz. Él sabía que eso era un trabajo grande--- un trabajo para un burrito.

Ese era el factor del burrito.

¿Y sabes qué?

Es tu trabajo, también. Ahora puedes ir y encontrar tu manera especial para servirle a Dios y llevar su mensaje de la cruz---como lo hizo Daniel.

FIN

Sobre la ilustradora

Caitlyn Chase es una graduada del programa de animación, de la clase del 2018, de la Universidad de Huntington en Huntington, Indiana. Ella se especializa en arte 2-D (animación, dibujo e ilustración) y está trabajando actualmente como diseñadora gráfica mientras ilustra su primer libro. Para su futuro, Caitlyn se imagina con su esposo, rodeada de perros y libros, mientras se dedica a una carrera que ayuda a darle vida a los cuentos.

Sobre la traductora

Natalia Sepúlveda, es una McNair Fellow Alumni y Traductora e Intérprete de español. Ella tiene una maestría y bachillerato en Literatura Peninsular y de Latino América de la Universidad de la Florida Central en Orlando. Ella es Pastora Recurso y del Ministerio de Jóvenes de Calvario City Church North Campus. Natalia actualmente vive en Orlando junto a su esposo Joseph, su hijo de dos años y su ¡bebita de camino! A ella le encanta viajar, compartir en familia y servirle al Señor.

Sobre el autor

Kevin P. Horath, autor de *The Elisha Factor* y *The Pharaoh Factor*. Es un orador y maestro dinámico, quien ha servido como pastor asociado para Hillside Bethel Tabernacle desde el 1997 y ha trabajado como ejecutivo de recursos humanos del campo médico por más de 27 años. Tiene un bachillerato de ciencias en gerencia de la Universidad de Illinois en Springfield. Kevin vive en Decatur, Illinois con su esposa Kathy. Ambos tienen tres hijos, tres nietos; dos perros y un gato. Durante su tiempo libre, a Kevin y Kathy les encanta ir a navegar en el lago Decatur. Su meta es ayudar a otros a encontrar un acercamiento espiritual saludable de la vida a través de la realidad y la aplicación práctica de las historias, personajes y principios bíblicos. ¡Sigue el trabajo de Kevin en www.Thefactorbooks.com!

CPSIA information can be obtained
at www.ICGtesting.com
Printed in the USA
LVHW071451090719
623566LV00015B/315/P

9 781632 963369